나의 어린시절,
끄적거리며 멍 때리던 상상의 공간

큰글자책

나의 어린 시절,

끄적거리며 멍 때리던 상상의 공간

발 행 | 2024년 5월 21일

저 자 | 나는나다 이은정

펴낸이 | 한건희

펴낸곳 | 주식회사 부크크

출판사등록 | 2014.07.15.(제2014-16호)

주 소 | 서울특별시 금천구 가산디지털1로 119 SK트윈타워 A
동 305호

전 화 | 1670-8316

이메일 | info@bookk.co.kr

ISBN | 979-11-410-8600-8

www.bookk.co.kr

나의 어린시절,
끄적거리며 멍 때리던 상상의 공간

나는나다 이은정

전자책을 보기 힘든 부모님께 이 책을 바칩니다.

1984년 초등학교 5학년 때 생일선물로 받은 노트의 표지에 '은정의 시집'이란 제목을 써놓고 시를 적으며 언젠간 내 이름으로 시집을 내고 싶다는 꿈이 있었습니다.

자연을 노래하는 시를 쓰던 어린아이가 어른이 되어가며 하나님의 사랑을 알게 되면서 하나님의 사랑을 노래하는 시를 쓰게 되었습니다.

어렸을 때부터 시집을 내는 것이 꿈이었던 딸이 중년이 되어 계절별로 구성하여 2022년 10월부터 전자책으로 시집을 냈는데, 정작 연로하신 부모님은 전자책을 볼 수가 없었던 것에 안타까워 '큰글자로 된 종이책 시집'을 내게 되었습니다.

'큰글자책 시집'을 준비하며 쓴 두 편의 시도 넣었습니다. 그리고, 계절별로 구성하느라 전자책에는 넣지 못했던 시들을 이번에는 가나다순으로 구성하며 넣어보았습니다.

시를 썼던 그때의 느낌을 살리고자 시를 쓴 날짜와 간격부호와 기호 등의 표기는 '시집노트'에 적은 대로 표기하였으며, 날짜기록이 없는 시들은 글씨체나 풍겨지는 분위기로 유추하여 80년대와 90년대에 쓰였는지를 구분해서 표시하였고, 유추하기 어려운 시는 공란으로 두었습니다.

책표지는 '미리캔버스'에서 만들 수 있었고, 부크크체를 사용하였으며 종이책 발행은 '부크크'를 통해 할 수 있었습니다. 시집 발행에 도움을 주신 '미리캔버스'와 '부크크' 관계자 분들에게 감사인사를 드립니다.

아울러 '**큰글자책** 나의 어린시절, 끄적거리며 멍 때리던 상상의 공간'을 구매하여 읽어 주신 분들에게 진심으로 감사한 마음을 전합니다.

2024년 4월 비 개인 후 햇살 좋은 어느 날…

가야 한다

1994. 4. 3.

무언가 잃고 사는 건 아닐까 하는 생각이 가끔 나곤 한다
너무도 빨리 흐르는 세월이기에
다시 한 번 시간 앞에서 뒤를 돌아다본다.
더 이상 헛걸음은 말아야 하겠기에
이젠 앞길의 걸림돌은 넘어야 한다
돌아서 가느라 허비한 세월은
이젠 그림자 속으로 묻어 두어야 한다. 가야 하기에

가보자 꿈나라로

1988. 8. 3.

꿈나라로 가보자 꽃마차 타고
오색빛 무지개 다리를 건너
찬란한 태양아래 반짝이는 저 호숫가
여름엔 퐁당퐁당 물장구를 힘차게 치고,
겨울엔 꽁꽁 얼은 썰매 타는 은반이로다.

온세상의 행복이 여기모였다.
이것도 저것도 모두내꺼다.
그래도 남아도는 행복의문 여기있다.
모두다 이리오라 행복의문 여기에 있다.
우리 행복의 웃음 언제라도 가지고 있자.

가슴이 답답할 때-

사춘기의 마음은 봄에 핀다지요?

남자만 보면 왠지 가슴이 두근두근.

멋진 남자만 보면 붉게지는 얼굴.

왠지 사랑을 하고 싶을 때-

하지만 어른들은 몰라요.

누구나가 거쳐야 하는 정거장

인생의 갈림길 사춘기.

아무도 몰라줘요. 내 마음을.

야-하고 소리를 치고 싶고,

바보야 하고 욕도 해보고 싶고,

알아주지 않으니. 답답할 뿐

소리를 치고도, 욕을 하고도

모자랄 땐 어떡하나.

갈림길에 선 나를

안내해 줄 안내자도

옳은 길로 인도해줄 인도자도

나에겐 없답니다.

가을비

가을엔 비 오겠지요
내 허전한 마음을 가득 채울

난 걷고 싶어요
비로 물든 내 마음의 거리를

누가 비 내리는
창밖을 보셨나요
묵묵히 꼭 닫은
마음 고독한 창문 밖을

나는 가을 낙엽을 밟고 있어요
엉클어진 내 마음의 갈대를.

가을엔

1994. 10. 20.

올해 가을은 유난히 요란하다

이쯤이면 제법 쌀쌀한 바람이 볼을 스치울텐데.

그저 소풍가기에 더 없이 좋은 파란 하늘이다.

어디론가 가고 싶다.

무엇인가에 빠지고 싶다.

나를 불태우고 싶다.

거울

1998. 8. 22.

들어보아요 나의 마음을.

당신과 함께함이 소중한 시간이 되기를,

나와 함께한 시간들이 헛됨이 아니길 바래요.

지금 이 순간도 벌써 잊혀질지도 모르는 과거가 되고 있어요.

보고 있나요?   지금 이 모습이 당신의 모습.

하지만 당신은 잊어버린 것 같군요.

마음에서 우러나오는 진실은 언제 비춰 볼 건가요.

깊숙이 숨겨진 그것을 찾아 뚜껑을 열어요.

그리고, 다시 내 앞에 서세요.

잊지 마세요 당신과 나는 하나라는 걸.

잊지 마세요 나는 당신에 의해서 존재한다는 걸.

내가 편안하고 진정 아름다워지길 원한다면

변화된 당신을 내 앞에 놓아요.

거울 나라

1986. 7. 25.

들여다보면,
또 하나의 이상한 나라
넓은 세상

들여다보면,
다른 세계 거울의 나라
좋은 세상

들여다보면,
가고 싶은 알쏭달쏭한 나라
아름다운 세상

겨울 나들이

온 세상이 은빛되었네. 찬란한 아침의 둥그는 마음.

즐거이 노래해.

바둑이도 멍멍 새들도 짹짹

신나는 눈싸움이 벌어졌구나.

눈덩이를 크게크게 굴려라.

눈사람을 예쁘게 만들자.

우리들은 어린이악당 장난꾸러기.

결심

2003. 11. 26.

이제는 피하지 않으리
부딪혀 부서져도
당당히 맞서리

비록 후회할지언정
편하고자 피한 후에
맞설걸 하는 후회보다 나으리

고백의 시

내가 어디를 가리이까 마는
주여, 나와 동행하소서.
주가 동행하심에 비로소 앞으로 가나이다.

이 핏잔을 내게서 멀리하옵소서 나는 감당치 못하겠나이다
그러나 나의 뜻대로 마옵시고 주의 뜻대로 하옵소서
다만, 내가 구하옵기는 주님이 주시는 십자가의 잔을 감당토록
해주사이다.

내 비록 주님의 발꿈치만도 못한 지혜이나,
주의 뜻을 따를 수 있을 만큼의 능력 주시고
주의 길 감에 감사하게 하소서.
기뻐함으로 감사하며 따르게 하소서. 아멘.

―

이 시는 성경[마태복음 26:42, 마가복음 14:36, 누가복음 22:42]
을 인용하여 쓴 시입니다.

구름은 (요술쟁이)

1986. 7. 29.

구름은 요술쟁이
누구 몰래 갔다가 오고,
몰래 살짝 왔다가 가는,
하얀 구름….

구름은 목동구름
놀고 와서 양떼구름 몰고,
몰고 가는 마법사 구름….
요술구름….

그 냥…

2000. 10. 23.

가끔 하늘을 보면 유난히 깊어 보일 때가 있습니다.
하늘이 위에 있어 천만다행이라는 생각이 듭니다.
발을 잘못 디뎌 빠지는 일이 없을 테니까요.

가끔은 길을 오래도록 걷고 싶을 때가 있습니다.
특별한 목적지는 없습니다.
그냥…
계속 걷고만 싶을 때가 있습니다.

그리움I

2002. 3. 31.

잊은 줄 알았는데, 잊었다고 생각했는데
그리워하고 있다, 내 마음은.

사랑해선 안 될 사람이라면
차라리 만나게나 마시지

가깝지도 멀지도 않은 곳에서
바라보게만 하시는 걸까

잊을 거라고 잊으려 해도
보고 싶어 한다, 내 마음은.

나의 반쪽이 아니라면
좋아하게나 않게 하시지

가깝지도 멀지도 않은 사이에서
애타게만 하시는 걸까

그리움II

2002. 3. 31.

아프다.

나는 어째서 그 사람을 이다지도 좋아해버린 걸까.

차라리 싫어하자고 하여도

오히려 좋아하는 마음 깊어만 간다.

괴롭다.

나는 어째서 그 사람을 싫어하지 못하는 걸까.

애써 고개를 돌려 보지만

그 사람이 그곳에 있어 주기를 바라는 건

나의 터무니없는 바램일까

보고 싶다. 정말 너무나도 그만 보고 싶다.

길

2003. 11. 22.

길을 찾고 있다
두리번 두리번
길이 없어 발걸음을 못 떼는 게 아니다
없는 길을 찾아 헤메이는게 아니다

방향을 찾고 있다
두리번 두리번
길이 막혀 못가서가 아니다
잘못 들어섰기에 되돌아가려는 게 아니다

길을 가고 있다
한걸음 한걸음
먼저 간 이를 좇아가려는 게 아니다
뒤쳐질까 급히 가려는 게 아니다

내가 걷는 길이
내가 가는 이 길이
내가 가야할 길이었기를

· - 꿈 - ○

1990. 3. 21.

파란 하늘에 나부끼는 구름처럼
내겐 조그많고 소중한 꿈이 있었어요.
언제나 밝고 고운 꿈이 되기를 ‥ ○

슬퍼도 울지 않는 지지 않는 꽃이 돼야지 —○
보다 큰 꿈을 가꾸어야지 — ○

혼자 있어도 외롭지 않은 꽃이 돼야지
하늘에 빛나는, 눈부시게 비추어 주는
햇님도 혼자인데 · ○
깜깜한 밤하늘 비추어 주는
달림도 혼자인데 · ○
°° 훗— ° 별림은 너무 많지!

곱게 가꾼 정원의 아름다운 장미보다도
허허벌판의 잡초 : 비바람에도 끄떡없는 잡초가 돼야지 ….
그래서 굳세고 힘찬 미소 짓는 꽃을 피워야지 !!!

꿈~·

나의 꿈이 여기에 실려 있어요.

예쁜 나비의 꿈이 ~·

보드레한 날개 짓 소리에

꽃망울이 터졌어요.

잎새마다 위에 진주빛 이슬

곱게 곱게 살며시 또르르르…

톡 튀기고 있어요 ~·

푸르른 하늘에 꽃구름

활짝 피어있어요.

오색 빛에 무지개 비단이

널리 널리 퍼져 있어요.

꽃마차를 타고 오신 행복의 여신

희망에 여신 ~·

비둘기가 훨훨 날아갑니다.

—

당시 인기있던 어느 월간 만화책에 연재되었던 어느 만화 속에서 주인공이 쓴 시를 보며, 같은 운율에 맞는 다른 낱말들로 적어본 시입니다.

꿈나라로

1988. 8. 3.

오색빛 무지개를 타고서, 꿈나라로 가볼까.
새들이 지저귀는 푸르른 나라로 가볼까
뭉게뭉게 뭉게구름 뭉게뭉게 흰구름이
하늘위에 나풀거리며 나비처럼 춤을 추네!
희망을 안고 가고가는 흰날개를 펄럭이며
노래를 하는 비둘기처럼 날아갈까.

금빛의 달님침대 누워서, 꿈나라로 가볼까.
별님이 반짝이는 눈부신 나라로 가볼까
노랑 빨강 파랑 초록 아름다운 별꽃들이
은반위에 노래 부르며 나비처럼 춤을 추네!
사랑을 안고 가는 불꽃들을 휘날리며
날아가 버린 불똥들처럼 가버릴까.

꿈쟁이…

예수님 꿈을 꾸며 주님 닮아가는 울 아이들…
꿈쟁이반 아이들입니다.

비록 어른만큼 잘 달리지 못하고
잘 넘어지기도 하지만

그래도 꿈을 간직하며
주님 앞에 나아가는

하나님의 귀한 아들딸들…
꿈쟁이반 아이들입니다

이 아이들에게,

하나님 안에서

예수님과 함께
성령님의 도우심으로
하나님의 자녀로서

"하나님 보시기에 좋았더라"는
은혜와 축복이 함께 하기를
주님 앞에 간절히 소망합니다

—

'꿈쟁이'라는 사이트에 올렸었던 시입니다.

나

1994. 1. 14.

나는 나 어느 누구도 아닌 나
남이 대신해 줄 수 없는 나
누구와 닮기 위해 있지 않는 나
남에게 잘 보이기 위해 있지 않는 나
인정받기보다 이해하려 해야 하는 나
남을 미워하지 않고 나를 사랑해야 하는 나

나는 나 나도 모르는 나
어쩌면 알고 있는지도 모르는 나
남이 가르쳐 주지 않아도 알아야 하는 나
남이 더 알고 있는지도 모르는 나
그러나 내가 더 잘 알아야 하는 나
남이 아닌 나의 인생을 살아야 하는 나

나는 나 이세상에 하나뿐인 나
남이 아닌 나를 위해 존재하는 나
사랑받고 싶고 사랑하고 싶은 나
꿈을 갖고 키워서 현실에 맞게 가꾸어야 하는 나
환상에서 벗어나 현실에 적응해야 하는 나
시간의 기억에 남고 싶은 나

나.

1993. 9. 18.

고삐에 묶여 이리저리 끌려갔지. 당연한 것처럼

고삐에 걸려 여기저기 끌려 다녔지. 어디로 가는지도 모르고

그냥 가자는대로 가고 멈추는대로 멈추고

어쩌다가 뒤를 보게 되면 보이는 건, 혼란과 그리움

어지러이 널려있는 발자국들…

바람이 스쳐 지나가듯, 무심결 계속 따라가고.

무슨 일인지 발이 걸리면 무심결 내려다보고 발길 가는대로 가고

어느날 뒤에서 오는 자가 있어 돌아보면

내 왔던 길로 오더니 쉽게 내 옆을 내 앞을 지나가고

불던 바람이 그때문인지 방향을 바꾸고

일정했던 길이 언덕길로 올라가더니 빠르게 내려가고

무심결 뒤를 보니 혼잡한 발자국들.

무심코. 어느 것이 내 것일까

멈추더니, 움직이지 않는다.

풀리더니, 날 두고 가버린다

발자국을 찾고 싶었어. 누구 것도 아닌.

희미해 졌어 바람때문이었을까

이젠 발자국이 보이지 않게 되었고.

무언가에 가려 감춰진 걸까.
너무 멀어 안보이는 걸까
어느새 뒤에는 바싹 발자국이 쫓아오고
누구거지. 누굴까.
계속 길을 걷는다.

나 그리고 남

1993. 6. 30.

그 어렸을 때 누구들은 말했지.
절대 할 수 없을 거라고.

그 어렸을 때 누구들은 나를 보았지.
절대 못할 거라고.

그 어렸을 때 그것이 진실인 줄로만 알았지.
눈앞엔 높은 절벽   깊은 낭떠러지   좁은 꾸부정한 길.
그러나 아니고 싶었어 …… 그렇게 되었지.

헤ㅡ! 그러나 되고 싶었어.
나도 할 수 있다고 ㅡ…

그 어느 때 난 안된다고 했어.
내겐 기회를 버렸지. 손을 뻗고 싶었는데.
그 어느 때 나라는 애를 피해 갔어.
난 존재 없는 존재였지.

누구들에게 난 울타리 속의 뱁새였어.

그 새집을 넘고 싶었지. 너무 높았어.
난 땅으로 떨어져 내려갔지.

시계소리가 흐르고 소리가 울렸지.
눈을 떴을 땐 시계소린 멈춰 있었어.
그 시계는 내 것인데….
이제야 서서히 내 손은 시계를 움켜쥐었지.

나 그리고 남
같은 존재이면서 다른 존재인 무엇.

나는 나의 존재를 위해 시계를 잡았어.

꽉!

나는 알았네

1994. 1. 15.

세상이 날 버려도 내가 세상 속에 있는 한 나는 버림받지 않으리
세상이 날 미워해도 내가 날 사랑하고 미워하지 않는 한 오래가지 않으리

내가 세상을 오해하지 않는 한 세상은 내 곁에 있으리
내가 포기하지 않는 한 마지막까지 희망을 버리지 않는 한 세상은 나와 함께 가리

나는 알았네.

1994. 2. 6.

나는 큰 키를 바랬으나 키가 작아 하늘이 높고 넓음을 알았다
나는 정상적인 눈을 바랬으나 그렇지 못해 앞 못보는 자들의 마음을 알았다

나는 남들이 나를 인정해주길 바랬으나 내가 남을 이해함으로써 함께 할 수 있다는 기쁨을 알게 되었다

나는 예쁜 글씨체를 원했으나 글자체만으로도 표현할 수 있다는 것에 만족함을 알았다

나는 자유를 꿈꾼다.

2003. 12. 7.

문을 열면 자유가 있다.

다만 문을 열기까지가 쉽지 않을 뿐이다.

용기라는 주문이 필요하다

실천이라는 발걸음을 옮겨야 한다.

그리고,

계속되는 문에 손을 뻗기를 주저하지 말아야 한다.

나무는 잎을 낳고… 꽃을 낳고…

1986. 7. 22.

나무는,
잎을 낳고 열매를 낳고…

나무는
어디에서 날아와 앉는
새들의 보금자리…

나비는 날지요.

1986. 8. 4.

나비는, 하늘을 향해
향기 찾아 날지요.

나비는 행복을 찾아
희망 갖고 날지요.

나비는 가족을 찾아
정을 갖고, 슬픔을 잊고,
기쁨을 갖고 괴로움 달래고,
그 먼 나라를 향해 날지요.

나에게 주는 자유

2003. 10. 25.

내가 무엇을 했으면 좋겠어?
자신이 하고 싶은 것을 해

내가 어디로 가는게 좋을까?
어디든 자신이 원하는대로

나의 꿈

2003. 4. 7.

나는 자유롭고 싶었습니다.
자유롭게 하늘을 날고 싶었습니다.

그래서 어디든 자유로이 가고 싶었습니다.
아무도 막지 않는… 그 곳. 그런 곳으로 말입니다.

'난'

1996. 4. 10.

시를 쓰고 싶다
공백을 채우고 싶다
무엇으로 담을까

후— ·
힘들었던 … 기억들 … 스친다 –

무섭다
뭐가 무서운 걸까
무엇이 이리도 날 힘들게 하는 걸까
어느 때의 내가 진짜 나일까

이젠 쉬고 싶다
편안해 지고 싶다

난로 와 연기

1985. . .

안방 건너방 사이의 난로
난로에 손을 대어 보면
엄마 품같은 느낌
언제나 잊을 수 없네

안방 건너방 사이의 난로
연기를 손에 가득 담아
다시 열어 보면 사라지는 연기
다시 찾아 봐도 없는 연기

—

초등학교 6학년 때에 반 회지를 위해 쓴 시입니다.

낮잠

1986.   .   .

봄이 오니, 잠이 와서
껌벅 껌벅 졸고 있는
귀여운 작은 가지.

지나가는 찬바람이
그만 자게 건드리고,
구름들도 햇빛가려,
방해를 놓고,…

이때, 가지가 하는 말
'아이, 졸려워.'

내 마음의 장미 한 송이

1999. 7. 10.

기다린 시간 속에서
애타는 이 마음은
짙은 향기 가득한 장미 한 송이 되어
당신 가슴에 묻습니다

가버린 당신에 향한
이 마음 어찌할 수 없어
이슬 맺힌 장미 한 송이 되어
당신 발아래 놓습니다

＿

'당신에 향한'은 '당신에게 향한'과 '당신을 향한'을 합친 느낌으로 표현한 것입니다.

내가 반해버린 사랑

2001. 10. 10.

그만 좋아하는 이가 생겼습니다
사실 그를 본 적도 없는데…

나에 대한 그의 사랑에
반해 버렸습니다.

유치하다고요?
그래도 어쩌겠습니까

이루어지지 않을 거라고요?
그래도 좋은 걸 어떡합니까

그의 사랑을 모르는 당신들이
어찌 내 말을 아시겠는지요.

훗- 그런 그가 누구냐구요?
그의 사랑이 얼마나 대단하냐구요?

하늘을 두루마리 삼고 바다를 먹물 삼아도
그의 사랑 다 채울 수 없음에
안타까울 뿐입니다.

그는 나의 타는 목마름을
영원한 생명수로 가득 채우시는
나의 생명이심을
어찌 말로 다 표현할 수 있으리요.

왜 반했냐건,
그냥 웃을 수 밖에….

그저 그 분의 사랑을 모르는 이들을 위해 기도할 뿐입니다-

―

그때 다녔던 교회 청년부 회지 '마라나다'에 내려고 쓴 시입니다.

내가 있기 원하는 자리

1993. 8. 13.

어렸을 때 난 생각했지

크면 많은 사람들과 어울려 함께 지낼 것이라고 믿었어

그래서 난 빨리 시간이 흐르고 세월이 바뀌기만을 기다렸지.

그러나 기다려봐도 나는 항상 그 자리에 있었어

난 내자리를 찾아보았지. 그러나 거기엔 내가 없었어

내가 서있기 원하는 그 자리엔 난 보이지 않았어

난 나를 찾아보았지 그러나 내가 원하는 자리가 아닌 그곳에 내가 있었어.

나는 그 자리가 싫었는데 그래서 피해 다녔는데

그러나 난 거기에 있었어

아직 그 자리에… ….

왜 나는 몰랐을까

그 자리에 있을 수 있게 하는 그 무엇이 내겐 있지 않았다는 걸

왜　?

나는 ….

남들이 나를 보지 않았을까

하고 생각했지

그러나 난 몰랐지. 내가 모습을 감추었다는 걸

난 언제나 깨닫게 될까
알려 하면서도　모른체 지나가고
가고 싶은데도　　　되돌아 스쳐가고
그러면서도 후회하고 실망하고
미워하면서도 원망도 해보고

후 – 우 –
하지만 난 알아. 피할 수 없는 길이라는 걸
헤 헤–!　그리고
두렵다 해서 모든 걸 포기할 순 없잖아.

눈사람

198 . . .

통통 통통 눈덩이를 굴리자
멍멍 컹컹 바둑이도 신나네
야호 야호 아이들도 신나네
영차 영차 눈덩이를 굴리자

하하호호 코가없네 하하하
홍당무가 코가됐네 호호호
킥킥깔깔 입이없네 킥킥킥
석탄으로 그려야지 깔깔깔.

답답하군 답답한걸

2003. 9. 3.

우연이라도 마주쳤으면 좋겠어
영화나 드라마에서 자주 나오는 우연이
왜 내게는 일어나지 않는 걸까…

네가 많은 전화 중에
내 전화만 피하는 것 같아 많이 아파

시간은 점점 흘러만 가는데
내게 주어진 시간을 잘 활용하지 못한 날
난 원망해

네게 상처를 준 것 같아 이대론 떠날 수 없는데…
너와는 아직도 통화조차 되지 않아.

너에게 뭐라 사과해야 할지
온통 고민 뿐이야
또 다시 같은 실수를 하고 싶지 않음에…

오늘 밤 난 다시 용기를 내어 전화할 생각이야
꼭 너와 얘기를 나눌 수 있길 소망해.

대추알

1988. 8. 10.

우리동네 옆집에
대추나무 있는데
여름이면 조그만
대추알이 피지요.

아직은 익지않은
푸름한 대추알이
아무도 몰래살짝
조금씩 커어가요

익지는 않았지만
먹음직한 대추알
몰래살짝 훔칠까
욕심에 따가야지

동생은 대추따고
밑에있는 언니는
바구니에 받아서
가득가득 쌓였죠

익지는 않았지만
먹음직한 대추알
집에가서 익히자
참말로 크구나.

알이큰건 아빠가
그담큰건 엄마가
이건내것 요것도
저것은 네가먹어

이제는 남지않은
빠알간 대추알은
너무도 맛있었지.
참말로 좋았었지.

되돌아보니…

2003. 3. 5.

하나님 한 번도 나를 실망시키지 않으시고,
하나님 한 번도 나의 손 놓지 않으셨네.

하나님 내가 목 놓아 울부짖을 때에도
내 눈물 땅에 떨어지지 않게 하셨네.

하나님 내가 주를 찬양할 때에도
그 찬양 헛되지 않게 하시고,
찬양으로 찬양케 하시니 감사해라.

하나님 내가 갈 곳 몰라 방황할 때도
내 곁에 늘 계셔 주셨네.

하나님 내가 주를 몰라 힘들어해도
내 주님 나를 위해 기도하시네.

하나님 내가 어리석어 당신의 종을 힘들게 해도
주님 내가 다시 돌아오기를 손꼽아 기다리셨네.

하나님 죄인이었던 내게 큰 소망주시니
내가 죽어도 주를 위해 죽으리라.

만약~그렇다면

1997. 7. 15.

만약에 내가 나의 길을 선택할 수 있다면
항상 순탄하고 편안한 길만을 고집하지는 않을 겁니다
때로는 고되고 때로는 힘든 길이 나를 더 성장시킬 수 있기 때문입니다

만약 신이 내게 돈을 주겠다 한다면
돈보단 돈을 버는 방법을 달라 할 겁니다
노력해서 얻은 돈은 그만큼 가치 있게 쓸 수 있기 때문입니다

만약 내가 사랑을 선택할 수 있다면
주기만 하거나 받기만 하는 사랑보단 서로 나눌 수 있는 사랑을 선택할 겁니다
사랑은 나눔으로 인해 더욱 그 힘은 발휘하니까요.

맛있는 꿈

2003. 12. 7.

시장에서 사 온 물고기
도마 위에 올려진 미완성
어머니의 손에 맛깔스러이 변신한다
어느새
헌 옷은 툴툴 털어버리고 새 옷을 입는다
빨간 고추, 파란 대파, 노란 마늘
색동옷이 곱기도 하지.
어우러진 모습에 어머니의 만족스런 미소
맛있는 상상에 침 흘리는 막둥이
군침 도는 혀로 무얼 그리 조잘대는지 마냥 좋은 누이
그 모습 그 향기에 취했나 보다
오늘도 구인란 뒤적이다 내려놓은 신문 쪼가리에 아버지는 근심
주름살 내려 둔다.
오랜만에 올려진 밥상 위의 간만에 취해보는 맛있는 꿈

—

'2004 매일 신춘문예 공모전'을 위해 쓴 시입니다.

만화여!

1999. 7. 10.

한때 애 취급으로 놀림을 받던 너
그래도 꿋꿋하게 자리를 지키는 너
그 수많은 시련들을 겪으면서 발전해 가는 너

때로는 잦은 이사로 지칠 것 같으면서도
가끔은 목소리가 바뀌면서

그래도 묵묵히 많은 사람들 눈과 귀를 자극시키는 너

시간을 거듭할수록 새로운 역사를 만드는 너

믿습니다.

1994. 2. 16.

많은 사람들이 꿈을 갖고 있지요. 나도 예외는 아니랍니다
시간은 흐르고 세월도 변해 가듯이 꿈도 서서히 변해가구요
하지만, 내게 남아 있는 믿음만큼은 잃고 싶지 않기에 난 꿈을
잊지 않았어요

남이 나를 앞서갈 때 훗-· 한때는 좌절의 아픔에서 방황도 했었
죠
어쩌면 그때가 나의 사춘기였는지도 모르죠
정말이지 많은 일들이 바쁘게도 지나가는데 날 가만두지 않더군
요.
결국 난 지쳐 버렸어요

여러 곳을 다녀봤지만 훗-· 답답한 마음 구석구석까진 아무도
이해해주지 않더군요.
한 사람을 만났지요. 그 사람이 내게 말을 했어요.
난 감격해서 눈물을 흘렸지요 내게 기도의 습관을 알려 주더군
요
그날부터 난 자주 그분과 만났지요.

그분은 날 이해해 주셨어요.

그분은 오래전부터 항상 내 곁에 계셨더랍니다

난 내 일에 쫓기느라 알지 못했죠 아니, 내가 피해 다녔는지도
모르죠

그래도 그분은 날 사랑하신답니다

난 그 사랑을 알지 못했죠 아니, 내가 거부했는지도 모르죠

난 그분을 믿지 못했어요 그분을 의심했습니다

그래도 그분은 날 사랑하셨습니다

난 그분을 사랑합니다 그 분을 믿어 의심치 않습니다

왜냐구요? 그분은 바로 우리의 아버지이시니까요.

-하늘에 계신 우리 아버지. 우리의 죄를 용서하시고 다만, 악에
서 구하소서-

바다 모래알

1988. 8. 17.

반짝반짝 빛나는 모래알처럼
움켜쥐면 쏟아지는 모래알처럼
부드럽고 따뜻한 모래알처럼

바다위를 날으는 갈매기처럼
쏴아쏴아 물결치는 파도알처럼
시원하고 차가운 파도알처럼

뜨거워요 눈부셔 태양빛때문
모래알도 뜨거워요 태양빛때문
파도알도 따뜻해요 태양빛때문

바람 과 파도

1988. 7. 31.

바람과 파도는 서로가 좋대요.
더울 때 더울 때 파도와 물결에
바람이 불어와 파도와 놀면은
바람은 세차게 파도는 시원히.
바람과 파도는 서로가 좋대요.

바람과 파도는 서로가 좋대요.
태양이 뜨거워 바람이 더울 땐
파도가 물결쳐 바람을 식혀요
태양이 뜨거워 파도가 뜨거움,
바람이 거세게 불어와 식혀요.

반가워요

1988. 7. 29.

모두 모두 반가워요
이 세상 모든 사람들.
즐거운 행복에
초대를 했어요 ―·

모두 모두 축하해요.
이 세상 모든 사람들
즐거운 희망을
가지고 있어요 ―·

모두 모두 즐거워해요.
이 세상 모든 사람들
즐거운 하루를
사랑과 웃음을 ―·

모두 모두 떠나가요
희망과 사랑과
행복을 가지고
떠나요 꿈으로 ―·

버스 안에서

1998. 9. 1.

나는 나는 한 마리에 작은 새라오
나는 나는 한그루에 작은 나무라오

바람아 바람아 불어라 새가 어디로 갈지
바람아 바람아 불어라 나무가 어디에 있는지-

—

버스 안에서 떠오른 시를 버스에서 내린 후 '삐삐'에 저장했었습니다.

봄바람

눈이 녹아 부는 바람
산들바람 봄바람

누구 몰래 살짝 와선
볼에 스친 봄바람

졸고 있는 새눈에도
스쳐가는 봄바람

봄이 오니 내가 왔소.
어서어서 일어나
봄을 마중 가자고.

—

'새눈'은 나뭇가지에 자란 '새순'을 뜻합니다.

봄소풍

와글와글 시끄러운 소풍길.
너도나도 즐거운 표정들 하고,
선생님 뒤를 따라
종종걸음 걷고 있는,
어린이들의 웃는 얼굴.

무거웠던 가방들도, 걸음도
가벼웁고 가뿐한 소풍길 아침.
앉아서 점심 먹고,
즐거웁게 놀고 있는,
어린이들의 환한 얼굴.

봄이 왔으니까요!

198 . . .

푸른 하늘에는 누가 살길래

어느 때나 조용한가요.

햇님이 떠올라 보아도

달님이 떠올라 보아도

보이지 않는 조용한 곳.

눈이 녹아 물이 흐르는 골짜기

산새도, 들새도 지저귀는 푸른 산, 푸른 들.

이제야 보이는 조용한 곳.

봄이 왔으니까요.

사랑!?

198 . . .

하얀 꽃이 너무 예뻐 다가갑니다.

평화로이 핀 ―·

찬바람이 불어 지친 내 가슴에 속삭입니다.

조용히 ― 그리고 따스히 품에 안깁니다.

거부할 수 없는 순간입니다.

나도 조용히 속삭였습니다.

사랑한다고 ―·

사랑이란.,

1989. . .

사랑이란,
아무런 의미가 없고,
생김새도, 빛깔도 없는
투명한 것.

사랑이란,
누구도 보지 못한 것이지만,
느낄수는 있는
희미한 것.

사랑이란,
격어보지 않으면은
모르는 그 누구에도,
알 수 없는 것.

—

가을 어느 날에 학교 백일장에서 쓴 시입니다.

사랑하고 싶은 사람이 생겼습니다.

-부제 : 좋아해도 될까요

199 . . .

그의 존재가 내게 점점 커짐을 느낍니다.
어느 때 부터였을까요
그가 내게 다가옴이…
내가 모르게 다가와 자신의 존재를 느끼게 하다니
당황스러움과 설레임이 어우러지네요

훗- 웃음이 나옵니다
만화를 좋아한다고 어린애같다는 핀잔을 하지 않는 그에게,
아이같은 모습을 순수하다고 보아주는 그의 모습에,
잦은 실수를 배려해주는 그의 행동에,
따스한 감동이 내 안의 호수에서 잔잔히 일어납니다.

그가 내게 주는 작은 감동들이 내 안에서 그를 좋아함으로 변하
고 있습니다
좋아하는 마음 누구의 허락을 받을 것도 없지만
그대에게만큼은 좋아하는 마음 내 맘대로이고 싶지 않네요

사랑하는 나의 아버지-·

1994. 2. 6.

나는 당신을 느끼고 싶습니다
언제나 어디서나 당신과 함께이고 싶습니다

나는 당신을 친구로 알고 싶습니다
편한 마음으로 마음과 마음의 대화를 하고 싶습니다

—

찬송가 '사랑하는 나의 아버지~ 이름 높여 드립니다~' 가 머릿
속에 맴돌아 쓴 시입니다.

사랑한다면

2003. 10. 5.

사랑한다면…

사랑한다는 말을 전하고 싶은 그 사람을
변하게 하고자 하지는 않을 겁니다

오히려
그에게 맞춰가려고 할 겁니다

그리고
그가 그 자리에 머물러 주길 바랄 겁니다

사랑은

사랑하고 있는 사람을
변화시키는 힘이 있습니다

뿐만 아니라
사랑하는 사람도 변하게 합니다

사람을 변화시키는 것은
충고가 아니라

사람을 변하게 하는 것은
사랑입니다

사춘기의 마음

19 . . .

뒹숭생숭 마음을
바로 잡을 수 없는
사춘기의 마음은 어떤 것.
때로는 화를 잘 내고
때로는 사랑도 하는
멋진 청춘이야.
친구들과 다툼도 하고
선생님께 벌도 받는
때로는 장난도 하고
때로는 웃음도 짓는
누구나 한번쯤은,
사춘기가 될거야

시끌버끌 마음의
나른나른 힘없는
사춘기의 마음은 어떤 것.
때로는 싸움도 하고,
때로는 친절히 하는
멋진 세상이야.

부모님께 꾸중도 듣고
동생들과 싸움도 하는
때로는 놀러도 가고
때로는 공부도 하는
누구라도 좋으니,
마음을 알아줘요.

삶과 죽음에 대해

1991. 5. 21.

나는 한 줌의 흙에서 인간으로 태어났습니다.

태어나 온갖 많은 경험을 겪게 되었습니다.

숨을 쉴 수 있다는 즐거움과

다치면 아프다는 괴로움과

코끝이 시큰거리는 슬픔과

사랑하며 얻는 기쁨과

사랑을 겪으며 얻는 고통과

한 계단 한 계단 올라가며 기쁨을 얻는 행복과

서로가 서로를 아끼는 사랑. 사랑을 알게 되었습니다.

약자는 강자에게 밀리고,

약자 앞에 강자는 거만을 떨고

강자 앞에 약자는 비굴하게 되고

거지는 동냥하며 부자는 부귀영화를.

어차피 죽음을 앞둔 건 똑같것만

어차피 늙어 죽든 사고로 죽든 같건만.

왜 목소리를 높여 죽음을 외치는가.

살아도 남에게 사랑을 베풀며 살자

서로에게 고통을 주며 살기보다는 더 행복할 것이다

서로가 한 발짝씩만 물러나면

서로가 먼저 손을 내민다면.

서로가 남을 미워하며 산다 한들

서로가 목소리를 높여 외친다 한들

서로가 먼저 앞길을 간다 한들

좀 더 생명을 연장시킨다 한들

죽음은 피할 수 없는 운명의 문입니다.

죽음을 눈앞에 둘 때

난 인간에서 한 줌의 흙으로 다시 돌아갑니다.

그날이 올 때까지.

삶의 허공

1991. 8. 7.

나는 일어나 길을 걷는다.
나의 자취를 보이고자 흔적을 남기고 간다.

바람이 불면 흙으로 덮일새라 깊이 새기고 간다.
내 앞길엔 아름다움이 아른거리건만
아무리 걸어도 눈앞에서 맴돌기만 할 뿐.
문득 뒤돌아보면 힘들여 지난 길에는
바람타고 발자취도 날아간다.

기나긴 시간의 흐름 속에서 허무로 자리 잡아

내 기억속에서도 사라지겠지.

후―·
나는 허공 속을 걷는다.
―

학교 회지에 선정된 시였습니다. 난생처음인 경험에 너무 놀라고
기쁜 나머지 국어선생님의 언제까지 어떻게 해 오라는 말씀이
들리지 않았습니다. 결국 학교 회지에는 실리지 못했습니다.

생각

1987. 7. 28.

나 외로이 의자에 앉아 책상에 팔을 대어 턱을 받쳐 들고 있다
오늘은 무엇을 해야 하며 생각해야 하나
누구를 만나며 대화를 해야 하나 하고…

나 밤 중에 이불에 누워 베개에 머리대어 과거 생각하고 있다
오늘은 무엇을 하였는가, 무엇을 했었나
과연 나 자신이 보람된 일을 했나 하고…

나 꿈 속에 즐거운 내일 위하여 오색 무지개에 앉아 생각하네.
내일을 위하는 꿈이여라. 꿈이여어 오라.
미래를 보면서 즐거운 나날을 위하여…

생각

1987. 7. 28일 이후 어느 날

나 외로이 의자에 앉아 책에 손을 대어 턱을 받쳐 들고 있다.
오늘은 무엇을 해야 하며 생각해야 하나,
누구를 만나며 대화를 해야 하나 하고…

나 밤중에 이불에 누워 베개에 머리대어 과거 생각하고 있다.
오늘은 무엇을 일을 했나 생각하고 있다.
어떠한 잘못을 했나, 좋은 일을 했었나 하고.

나 꿈속에 구름을 타고 멀리 하늘 끝까지 가보면
어여쁜 꽃들과 나비, 짹짹 거리는 새들을 만나보면
어느새 시끄런 소리가 시계소리가 들린다.

—

1987년 7월 28일자에 썼던 시를 '시집노트'에 옮겨 적은 줄 모르고, 기억을 더듬으며 생각나는 대로 다시 쓴 시입니다.

소나무

1991. 12. 21.

시원하게 꺾인 굴곡은 유유히 흐르는 해방감인가
해방감에서 잠시 벗어나 지나왔던 길을 돌이켜보는 방랑자의 쉼
터인가

아무런 말없이 서 있는 그러나 후끈함이 오가는.
찾아가지 않고 기다림으로 기다리는.

언제까지고 그 자리를 지키며 가만히.
자신을 필요로 하는 님을 위해 뿌리를 지키는.

나는 가만히 그대를 지켜봅니다. 내 마음 답답할 때.
그대를 보면 가슴이 확 트이는 시원함을 느끼는데.

그대는 알까 내 마음을…

—

그 시절에 살았던 집의 방 벽에 달력종이를 붙여 놓고 떠오르는
대로 쓴 시입니다.

소낙비 (1)

1988. 8. 7.

소낙비는 소낙비는
더운여름 뜨거움을
쏴아쏴아 신이나게
전쟁에서 이기지요.

소낙비는 소낙비는
더운마음 속이탐을
쏴아쏴아 후련하게
순식간에 없애지요.

소낙비를 소낙비를
제일제일 반겨주는
농사짓는 시골농부
아주아주 좋아해요.

소낙비를 소낙비를
제일제일 좋아하는
물이없음 못산다는
벼이삭들 신이나요.

소낙비 (2)

1988. 8. 7.

쏴아쏴아 후두둑 쏟아지는 소낙비
이슬맺던 이슬비 갑작스레 변했네.
이슬먹던 풀잎도 감추네요 얼굴을.

쏴아쏴아 후두둑 쏟아지는 소낙비
우릉쾅쾅 번갯불 갑작스레 변했네.
고기잡이 애들도 고기잡던 어부도.
얼른얼른 부두로 돌아와요 집으로.

언제언제 왔었니 일곱빛의 무지개.
쏟아지던 소낙비 언제언제 갔나요.
이슬먹던 풀잎도 집에있던 어부도.
얼른얼른 보아요 저기저기 무지개.

소망이 있다면…

2003. 9. 13.

하나님은 내게 용서하라고 하신다.

용서라…
난 싫은데,
자꾸만 더 미워했으면 하는데
아니 더 많이 그들이 고통받고 망신당했으면 하는데

하나님은 내게 그들을 용서할 수 있는 마음을 주신다.
그래두 나는 꺾일 줄 모르는 자존심에 한 번 더 제동을 건다.
그래두 그래두 그렇지만…

하지만 나중에 하나님이 나를 용서하지 않으시면 어쩌나하는 맘
에 그들을 용서코자 한다.

내게 있는 상처의 응어리가 깨끗이 낫길 바란다.
그래야 또 다시 같은 일에 아파하지 않을 것 같다.
그리고 지연된 성숙이 회복되길 원한다.
그것도 깊이 있게…

수 영

1987. 8. 5.

쏴아 쏴아 물결치는 파도소리와 함께
너울 너울 장단맞춰 갈매기도 춤을추고,
풍당 풍당 팔저으며 나도함께 수영하네.

부글 부글 입속에선 공기들이 나오며
꼴깍 꼴깍 바닷물을 수도없이 마셔보니,
목도 아파 배도불러 밥한숟갈 생각없어

따끔 따끔 찌르며 날아다니는 모기들.
일어 나니 간질거려 긁어보기도 하지만,
그러 면은 더욱더욱 아프기만 해.

슬플 땐 슬퍼할 수 있는 거야-!

1998. 7. 5.

누구나 말을 쉽게 하지.
그것이 내게 무엇을 남기게 하는지도 모르고….

그냥 내 뱉어 버려… 흥 -

누구나 슬플 땐 슬픔을 표현해.
거기에 나도 있는 건데….

난 안된다는 걸까……?

난, 슬플 때는 슬퍼하고 싶어.

나도 슬퍼 할 줄 알아.

쉿 …!

1998. 6. 23.

좋아해선 안 될 사람을 좋아해 버렸습니다
누가 볼까 살짝 문틈으로 (살짝) 보기도 합니다
화들짝 놀라 돌아보지만,
텅 빈 바닥 뿐입니다

좋아해서는 안 될 것 같습니다
그런데, 눈을 뗄 수가 없습니다
…….
아무래도 좋아해버린 것 같습니다

아버지

2001. 10. 31.

무엇이라 부르리이까
하나님이 주신 큰 사랑.

낳으시고 길러 주셨으니
울타리라 부르리이까

고된 일 감당하셨으니
지게라 부르리이까

무거워도 내려놓을 수 없는 짐을
이제껏 지고 오신,
아무도 대신 못하는 그 자리를
지켜오신 분.

그 이름을 아버지라고 불러 봅니다.
─
아버지 환갑을 축하하기 위해 쓴 시입니다.

아이는 …

1994. 5. 4.

아이가 아이였을 때

그저 어른들은 훌륭하다고 생각되었다

아이가 아이였을 때

그런 훌륭한 어른이 되고자 했다

아이가 아이였을 때

연기의 아는 말이라곤 연극 뿐 이었다

아이가 아이였을 때

TV의 만화 속은 무척 자유롭다 느꼈다

그것을 아는지 모르는지, 알게 모르게 꿈을 가졌다

아이가 아이였을 때

그 꿈을 얘기하곤 했는데 그것을 나쁘게 생각하는 이들이 있는.

말도 꺼내보지도 못하고 그저 침묵을 지켰다

아이가 아이였을 때

아무에게도 마음의 말을 할 수 없다는 걸 알았다

아이가 커서 아이가 아닌 아이였을 때

연기에 탤런트, 성우, 모델, 영화배우란 말이 있다는 걸 알았다.

아이가 커서 아이가 아닌 아이였을 때

어른에 대한 환상을 깨졌다. 이런 게 아니었는데…

아이가 아닌 아이였을 때
연기를 하고 싶었다. 나를 찾고자 했기에…

아이가 아닌 아이였을 때
많은 것을 느꼈다.
답답함, 배신감, 허무감, 허망함, 허탈감, 슬픔, 후회, 그리고 …

아이가 아닌 아이였을 때
이젠 좌절의 아픔을 딛고 일어서고자 했다 그러나 다시, 그리고
또 다시,
아이가 아닌 아이였을 때
외부의 힘을 빌리고서라도 차츰 내 자신을 찾고자 했다

아이가 아닌 아이였을 때
인생은, 삶의 목표가 있느냐 없느냐에 갈 길이 선택된다는 걸 알
았다
아이가 아닌 아이였을 때
이젠 자신의 길을 가고자 했다
—

'환상을 깨졌다'는 '환상을 깼다'와 '환상이 깨졌다'를 모아서 표
현한 것입니다.

아침 무지개

1988. 7. 22.

새벽 같은 아침에 창문 두드리는 소리
열어보니 조그만 이슬방울들
아침인사 예쁘게 손짓하지요
나도 반가와 손짓하네-

즐거운 하루를 시작을 알리는 모습
그 모습이 너무나 아름다워요
오색빛의 무지개 너무 멋져요
햇님도 반가와 미소짓네-

—

그 당시 '아름다와요'라고 표현했었는데 한글프로그램이 '아름다
워요'라고 자동입력을 해서 그대로 두기로 했습니다.

아 침 이 슬

19 . . .

아침 이슬처럼 마알게 하소서
아침 이슬처럼 빛나게 하소서
아침 이슬처럼 예쁘게 하소서

아무도 모르게 살포시 앉게 하소서
아무도 모르게 살며시 떨어지게 하소서

- 아름다운 햇살이 비치면 빛을 내게 하소서-

아픈 사랑

2001. 5. 2.

하나님이 사랑하는 나는 …
어떤 사람을 좋아하게 되었습니다

예수님이 늘 함께 하는 나는 …
그 사람을 마음에 두게 되었습니다

성령님이 언제나 돌보시는 나는 …
그 사람으로 인해 아팠습니다

        …

하지만, 주님은
나를 탓하지 아니하였고
그저 묵묵히 바라봐 주었으며
아무 싫은 내색 없이 내 곁에 있어 주었습니다

        …

서운하셨을 텐데

분명 질투가 났을 텐데도
그냥 내 곁에 있어주었습니다

나는 …
정말 나쁜 사람입니다

늘 변함없이,
아니 더더욱 뜨겁게 사랑하시는
나의 주님을 두고,
자꾸 곁눈질에 바람만 피려 합니다

그런 나를
그래도 사랑하시는,
주님의 그 사랑은

너무도
너무도 아픈

…아픈 사랑입니다

안녕 친구여!

1989. . .

추억을 그리며 맴돌던 바람처럼,
흐르는 물 위의 낙엽처럼, 떠가는 시간.
꽃 피려는 봉오리처럼, 살며시 우정도 싹트고…

날아가는 추억의 바람에
너의 그림자도 실려가고…
강물은 변함없이 바다로 가는데
비 내리던 하늘엔 무지개 피는데…
만나면 헤어짐이 당연하련만.
내 마음속엔 허무만이 자리잡고-·
너의 눈엔 이슬이 곱게 맺히고

친구야 우리 웃자.
눈물은 흘리는 것이 아니야.
다음을 위해 거둬들이는 거야.
잘가 친구.
안녕- 내 친구여!

알고 보니,

2002. 12. 7.

내가 그를 좋아한 것이 먼저인 줄 알았는데
그가 먼저 날 사랑하였던 것을…

내가 남을 먼저 존중한 줄 알았는데
그가 먼저 날 존귀히 여기었음을…

내 손을 잡은 자 없는 줄 알았는데
태어나기 전부터 나의 곁을 떠난 적이 없는 그가 있었음을…

세상에는 나 혼자 뿐이라고 생각했는데
세상이 있기 전부터 나를 기억하는 그가 있었음을…

나조차도 나를 멀리하고 싶었을 때도
나의 대변인이 되어 나를 감싸준 그가 있었음을…

나는
나는…
알지 못했던 걸까요 아님,
알려고 하지 않았었나요 그것도 아님,
알면서도
알지 않은 채로 있고 싶었던 건지도…

눈이 커지도록 놀라운 건
눈물이 나도록 고마운 건
가슴이 콩닥거리도록 좋은 건

내 마음에 깊이 새겨진 그의 말은
"내가 너를 사랑한단다"

그의 말이 내 입술의 소문이 되기를…
그의 사랑이 나의 자랑이 되기를.

어떻게 그들을 용서할 수가 있습니까

2003. 1. 9.

아이가 내게 물었다.

"욕하고 때리고 놀릴 때 나는 그래도 참아야 하나요?"

나는 아무 말도 할 수 없었다.

그와 같을 때 용서하기보다 욕하고 미워했음을…

같이 싸움을 하라고 가르칠 수는 더더욱 없었다.

내가 하나님께 물었다.

"나를 업신여기고 무례히 행하는 그들을 용서해야 합니까?"

하나님이 내게 말씀하시기를,

"나는 내 아들을 때리고 죽게 했던 그들을 욕하지도 참지도 않았다."

"그럼 어떻게 했나요?"

"나는 사랑했단다."

"어떻게 그럴 수가 있습니까? 분하고 억울하지도 않으세요?"

"사랑이란 모든 것을 용서할 수가 있단다."

"하나님 내게도 그런 사랑을 할 수 있게 하소서."

"내가 너와 함께 하리라."

하나님은 묵묵히 내 옆에 계셔 주었고,

내가 하나님의 생각에 맞추기까지 나를 떠나지 않으셨으며,
나의 생각이 하나님의 생각에 가까워지도록 나를 도우셨다.

어버이 은혜에 감사드리며 !

1990. 5.   .

하늘의 태양이 아침의 이슬을 비출 때
그 반짝이는 이슬은 매우 아름답습니다.

그 어느 보석이 아름답게 빛을 낸다 해도
그 어떤 아름다움이 당신을 유혹한다 해도

— 어버이 사랑은
이 모든 것에 비교할 수는 없습니다.

밤하늘 별들이 어둠에 모습을 감출 때
그 캄캄한 하늘은 매우 어둡습니다.

어둡고 캄캄한 곳에서 나를 구해줘도
악의 손아귀에서 날 구원해 준다 하여도

— — 어버이 은혜는
이 모든 것에 비교할 수는 없습니다.

그동안 키워주신 어버이 은혜에 감사할 뿐입니다.

언젠가 함께 할 삶의 파트너를 생각하며…

2000. 10. 30.

그대와 마주칠 때 자연스레 웃으며 인사하고 싶어요
최고의 중매쟁이신 하나님이 정해준 그대와
짧아도 복된 시간을 나누고 싶어요

혹시 그대와 마주쳤을 때 나의 당황한 모습에
그대에게 상한 기분을 주지는 않았는지,
가슴 졸이며 눈물 흘리기도 하구요

언젠가는
언젠가는 하면서
그대 앞에 당당히 설 수 있는 내가 되길
하나님께 간절히 소망합니다.

여름 나들이

198 . . .

온세상이 금빛되었네.
찬란한 아침에 둥그는 마음
즐거이 노래해 — ·
갈매기도 훨훨 파도는 쏴아쏴아
신나는 물놀이가 벌어졌구나
누가 누가 더욱 더 수영 잘하나
누가 누가 더 빨리 도착을 하나
우리들은 소년소녀들 장난꾸러기.

여백의 시…

그곳은…

나는 하늘을 좋아합니다

그곳이 파란색이면 더 좋습니다.

그리고 하얀여백이 어울려져 있다면 더욱 좋구요

왜 내가 여백이 있는 파란 하늘을 좋아하느냐구요?

훗- 그건 비밀입니다

…하나쯤은 비밀로 간직해도 좋을듯 하니까요

오늘도 나는 머리를 뒤로 제치고 실컷 좋아합니다

그런 나를 우습다고 여겨도 하는 수 없지요

어깨가 욱신거려도 좋은 걸 어떡합니까

앗차! 깜박했군요

한가지 더 있습니다.

바람이지요

시원하게 귓불을 때리는 바람이 일면 더더욱 좋습니다

나는 그곳이 좋습니다.

—

그때 다닌 교회에서 새 성전을 지을 때 옥상에 올라간 적이 있었습니다.
옥상 벤치에 앉아 교회 꼭대기에 있는 십자가를 바라보는 걸 좋아했습니다.

파란 하늘과 하얀구름, 그 사이로 하얀 십자가가 빛에 반사되는 걸 보며 평안함을 얻었던 그때를 생각하며 쓴 시입니다.

왜

밤하늘에 떠 있는 별들은 많지만
우리들이 보고 있는 별들은 얼마나 될까
우리가 잊고 사는 것은 아닌지
그냥 지나쳐 가는 것은 아닌지

한 번 더 저 하늘을 바라봐
아직 보지 못한 별들은 많아

어둡다고 그냥 가는 것은 아닌지

하늘 저 편에는 우리가 모르는
더 많은 별들이 있을 텐데-·

왜 보지 않고 가버리는지

우리는 무엇 때문에-·
별들을 지나치는지
별을 보고 살아가는지

밤하늘에 떠 있는 별들은 많지만
어둡다는 핑계로 찾아보지 않잖아

왜 보지 않고 가는지

그래도 별은 있는데……

우리엄마

2024. 4.11.

임신하기 전에는 몰랐어요
이렇게 몸이 무거운 줄을…

출산하기 전에는 몰랐어요
이렇게 몸이 아픈 줄을…

아이 둘을 키우기 전에는 몰랐어요
이렇게 어렵고 힘든 줄을…

하나도 힘들었고 둘도 힘든데 어찌 셋을 낳고 키우셨을까
그저 감탄스럽고 존경스러우신 분.

그 분은 우리엄마이십니다.

웃으며 살아요

198 . . .

언제나 웃으며 사는 우리가 좋아요
넘어져도 울지않는 아이가 나는 좋아요
푸르른 하늘에 나부끼는 구름은
하얗게 예쁘게 피어있는 백합화
백합처럼 하아얀 마음을 가져요.

햇빛은 오늘도 항상 반짝이고 있는데,
너는왜 울고만 있니 울지를 말아라
파아란 바다에 우뚝솟은 바위섬
파도가 춤춰도 흔들리지 않아요.
언제나 희망있는 우리가 되어요.

태풍이 불어도 참는 우리가 좋아요.
괴로워도 참고견딘 우리가 나는 좋아요
슬퍼도 입가엔 미소를 지으며
오색빛 찬란한 무지개가 행복을
꽃마차를 타고서 희망을 가져요.

이다지도 그대가 좋은데…

2000. 10. 30.

왜 난 당신이 쳐다보고 있으면
고개를 돌리는 걸까요.
그러면 당신이 고개를 돌린다는 걸 알면서도
왜 난…

왜 난 당신을 제대로 바라보지도 못하는 걸까요
결코 당신이 좋은데
이렇게도 마음이 아플 정도인데
왜 난…

그대여 그대는 알고 있나요
당신과 아주 가까운 거리에 있는 누군가가
이렇게도 당신을 좋아한다는 걸…

이렇게도 당신을 그리워하는데…

2000. 10. 30.

어째서 이런 일이 생겼는지…
눈물이 앞을 가리워 뒷모습도 보기 어렵네

너무도 좋아하게 되었는데
왜 난 당신 앞에 서면 굳어버리는지…

그저 볼 수 있는 당신의 모습은
뒷모습뿐.

꼭 전하고 싶은 말은,
당신을 좋아한다는 단 한 마디인데…

굳이 원하는게 있다면,
자연스레 대화를 나누고픈 것인데…

너무도 부족한 나의 모습에 실망할까 두려워
감히 당신 앞에 당당히 서보지도 못하는.

어쩌다가 이렇게 되어 버렸는지
이다지도 당신이 보고픈지
이리도 당신을 좋아해 버렸는지
어째서… 어째서…

당신을 이렇게도 좋아하는 내가 있다는 걸
당신은 아는지…

이슬 무지개

1987. . .

햇빛은 선녀같이
나뭇가지 위에서 부서지며,

소리없이 앉아 있는
작은 꿈 이슬을
톡
떨어뜨린다.

비둘기 빛 바람은
내
이마위로 살며시 지나가고,

아직도 밤꿈에 젖어있는
풀잎들에게 보여준다.
아침이슬의 빛난 얼굴을.

무지개빛을 작은 손에 주어
빛을 내게 한다.

내 가슴에 웃음꽃 피게한다. -

—

 청소년 시절에 월간(혹은 주간)만화잡지에 실린 어느 만화 속 주
인공이 발표했던 시를 보고 그 시의 시어 글자수에 맞추어 다른
낱말로 표현하여 쓴 시입니다.

잎새

1986.   .   .

봄을 찾아 훨훨.
바람 따라 오는,
마지막의 잎새.
어디에서 오나,

어딜 가나 보니,
아무도 모르게
쪼그리고 앉아….
바람피해 앉아….

어디인가 몰래
찾아 나선 잎새….
바람 따라 훨훨
가버리는 잎새….

살짝 살짝 몰래
들여다보아도
가버리고 없는
마지막의 잎새….

자살을 꿈꾸는 이에게

2003. 12. 6.

밤보다 더 깊고 어둠보다 더 어두운 그대의 절망이란 늪에서 꿈
적도 않으려는 상처입은 영혼아.

그대가 걸어 온 길을 포기에 묻지 마라
힘들게 남긴 발자욱이 바람결에 묻어져도 주저앉지 마라

가다 지치면 쉬었다 가려마.
작은 벌레 소리에 귀기울여보아라. 바람소리에 얼굴대어 보아라,
물줄기에 손을 내밀어 보아라

어차피 태어난 인생인데,
이세상 쉬운일 무엇하나 없고. 내 인생 대신 살아줄 이 없는데,
잡히지도 않는 흙먼지가 되려는가.

이왕 태어난 거 사랑하고 죽자꾸나.
진짜 사랑이 무언지 알고나 죽자꾸나.
—

'2004 매일 신춘문예 공모전'을 위해 쓴 시입니다.
'묻지 마라'의 의미는 '파묻다'는 뜻으로 썼습니다.

자신

1987. 7. 28.

나는 나의 자신이 없어라
그 이유 나도 모르겠구나
역시 나는 자신이 없나보구나

나는 나의 대답이 흐려라
그 이유 나도 모르겠구나
역시 나는 자신이 없나보구나

자유의 변화

1995. 1. 14.

시간이 무척 빨리도 지나가지만 나는 변한 것이 없는 듯하다.

바깥세상은 많은 것이 변화되고 있는데 나는 제자리걸음만 하는

듯하다

알에서 깨고 나오려 몸부림을 친다

무엇이 나를 이리 애태우는 것일까

나는 가고자 한다

가고 싶다

작은 별

1988. 7. 22.

반짝 반짝 빛나는 작은 별
예쁘게 예쁘게 빛나는 저 얼굴
누가 누가 더 예쁘나 내기라도 할까.-
예쁜 얼굴 곱게 가꾸어 놓은 듯
아름답게 영원히 빛나거라.

곱게 곱게 빛나는 색시야
연지 곤지 치장을 한 저 얼굴
밤마다 밤마다 꼬박꼬박 누굴 기다릴까.-
달보다는 작지만 귀여운 작은 별.

장애물 달리기

2003. 12. 7.

그래.
달리자

이 뜀틀만 넘으면
이 매트만 뛰이면
이 철봉만 건너면

그래
달리자

돈도
명예도
권력도

다 뛰어 넘어 주마

그래
달리자
내 꿈은
인생이란 굴레에서
자유롭고자 하느니.

—

'2004 매일 신춘문예 공모전'을 위해 쓴 시입니다.

저녁놀

1988. 8. 13.

빠알갛게 익었네.
저기저 저녁놀.
도시에도 시골에도
변함없이 꼭오네.

이글이글 타오른
저기저 저녁놀.
산을넘고 강건너도.
끝이없는 저녁놀.

저녁놀이 비이친.
바다위 저녁놀.
불바다된 바아다는.
저높이솟 은 태 양.

—

'빨갛게'는 '빠알갛게'로, '비친'은 '비이친'으로, '바다는'은 '바아다는'으로 표현하여 운율에 맞게 쓴 것입니다.

정말로 사랑하십니까

2003. 9. 26.

정말로 생각해서 하는 거라면
충고보다는 배려를 할 겁니다.
이해하고, 있는 그대로의 모습으로 말입니다.

하지만,
사람들은 충고하는 것을 쉽게 생각하는 것 같습니다.

그 충고가 변화를 줄 거라고 믿는 것 같습니다.

정말 그럴까요?

충고를 한다는 건 그만큼 그것이 싫기 때문이 아닙니까?
자신이 그 모습을 받아들일 수가 없기에
그래서 변화를 시키고자 하는 욕심으로
충고를 하려 드는 게 아니냐는 겁니다.

정말로 사랑한다면,
충고보다는 이해와 배려로 대할 겁니다.

사랑은,
다른 사람을 변화시키려고 하기보다는
자신이 그에 맞춰 감으로 시작하는 겁니다.

종이학 속의 추억

1989. . .

필통 속 작은 종이학이 내겐 소중한 추억이랍니다.
가만히 보고 있노라면.
친구의 정다웠던 모습이 눈물을 스치웁니다.
심한 장난일로 속이 상한 일도 많았지만.
지금은 그 모든 추억들이 가슴 속 깊이 자리 잡고 있습니다.

같은 반이었지만 두 살이나 위인 너였지만.
책임 있는 말 믿음직한 행동, 친근감이 들어
언니 같은 느낌이 들곤 했지.
난 네가 좋은 언니친구라 생각해.
왜 진작 만나지 못했던가 생각도 해보지.
그동안 비록 짧은 시간이었지만
같이 지내던 추억들이 즐거웠어.

그러나 그 친구는 이 학교를 떠납니다.
원해서 왔던 학교인데… 정이 든 학교인데…
떠나서 섭섭하답니다. 선물을 줘서 고맙답니다.

웃고는 있었지만 난 압니다.
아무리 그래도 멈출 수 없는
눈물을 흘리고 있다는 걸
이 학교를 사랑하고 있다는 걸.

난 믿습니다.
분명 그 애는 훌륭한 꿈을 가꾸고 있으리란 것을…

—

학교를 다닐 수 없게 된 친구를 생각하며 쓴 시입니다.

···-주님!

1994. 2. 6.

때때로 일이 잘못되게 하심을 감사드립니다
좀 더 깊이 생각하고 반성의 시간을 가질 수 있기 때문입니다

사랑해주는 사람이 주위에 있기에 행복합니다
사랑받는 기쁨을 알게 되어 베풀 수 있기 때문입니다

지는 것 져주는 것 진정한 승리는…

1992. 2. 19.

붉은 태양이 검은 구름에 가리더니

어느새 어둠이 몰아치고,

바람이 세차게 불더니

어느새 폭풍우가 밀려온다.

아무리 세찬 바람이 매섭게 치어도

갈대는 꺾어지지 않건만,

단단하고 억센 큰 나무는

폭풍우에 대항하다 꺾이고 말았네.

진정한?

198 . . .

진정한 친구란 어떤 것!
슬플 땐 눈물이 기쁠 땐 웃음이.
외로울 땐 친구가 되어 주는 것.

진정한 사랑은 어떤 것!
사랑을 위해 사랑을 버리는 것.
태양보다 뜨겁게 바다보다 넓게.

쪼로롱 아기새

198 . . .

초록빛 수풀 쪼로롱 아기새야,
방울소리 울리면 가보려무나,
푸른 나뭇가지에 앉으려무나.
맑고 맑은 꿈을 안고 힘차게 날아라.
장미구름이 웃음짓는 무지개 동산으로
너만의 나라로 푸르고 맑은 나라로

푸르른 하늘 쪼로롱 아기새야
오색구름 지난다 인사하거라,
예쁜 달님 떠오른다 인사하거라.
밝고 고운 꿈을 안고 힘차게 날아라
고운 달님이 웃음 짓는 오색빛 동산으로
희망의 나라로, 푸르고 맑은 나라로.

찬양의 기쁨

2003. 9. 13.

이제 내가 노래를 불러도
이제 내가 노래를 불러도
기쁨이 없구나

예전의 그 기쁨은 다 어디로 갔느냐
한숨만 나오니
한 숨에 날아갔느냐

-첫걸음의 시작-

1990. 7. 22.

나는 아무 일 없는 하늘을 올려다봅니다.
멍하니 보고 있노라면,
답답한 가슴이 확 펴질 듯합니다.

튼튼한 나무에 기대어 먼 산 쳐다봅니다.
시원한 바람이 불면,
뜨거운 이 마음을 차갑게 해줄 듯한데 --

시냇물에 종이배 띄워 봅니다.
물의 흐름에 따라 유유히 떠내려가는 --
저 배는.
내 첫 걸음의 시작이자,
　　　희망이요.
　　　소망이라.

추억속의 희망이 깃든다

19 . . .

시간이 물결따라 흘러가듯이
당신과의 옛 추억도 가고 있어요.
바람에 실려 가버린 옛. 추억들 — -

잊지 못할 때문지 않은.
아름답고 슬픈 추억들이
내 가슴에서 사라지지 않듯이
당신의 그 모습도 잊혀지지 않아요.

지금도 불고있는 솔솔 바람에는,
바람속에는, 당신이 지니고 있던 그 향기가.
내 마음을 빼앗아 버린 그 향내 - - - - ·

아름답던 추억들. 진실했던 그 모습. —— — -

언젠간 만나리라는 희망으로
지금 이렇게 살아가고 있어요.
내일이 있으므로 — -

춤과 노래를 함께

198 . . .

애들아 이리로 오너라
다같이 춤을 춰보세
즐거이 노래 부르며
음악에 맞추어

옆집에 고양이도 오네
같이 뛰놀아보세
야옹야옹 울으면서
다같이 뒹구네

모두다 이리로 오너라
활짝이 웃으면서
즐거이 노래를 함께
다같이 부르자

이제보니 뒷집에 강아지
이리와서 춤을 추네
멍멍컹컹 짖으면서
꼬리를 흔드네.

크리스마스 트리

1988. 12. 25.

오늘은 눈이 오지 않아도
내 마음은 어느새 천사가 되어
헐벗은 나무에 장식을 달아
예쁘디 예쁜 트리를 만들죠.

지팡이, 구슬 여러 무늬로
내 마음은 어느새 종소리 되어
곳곳에 빛나는 별빛이 되어
눈부디 부신 트리를 만들죠.

큰글자책

2024. 4. 11.

중년이 된 딸이 전자책으로 시집을 내었다 자랑하니
전자책이 무어냐고 되물으시네

한 권에 천원밖에 안한다고 하는 딸에게
만 원 오만 원어치를 사준다고 큰소리를 치시네

전자책이 뭔지도 모르셨던 분들이
전자책을 볼 줄은 어떻게들 아실까

아니에요
아니에요

차라리 제가 종이책으로 낼게요
보고 읽기 편하시라고 큰글자책으로 낼게요

태　양

1987. . .

하늘위에 핀 꽃
빠알갛게 익은
태양.

저녁노을 필때면
모올래 살짝
숨고 ….

구름들은 심심한듯
어디론가 가고
있네 ….

예쁜별들 모이네.
흰옷입은 달을
모시고 ….

통곡의 소리I

2000. 10. 13.

하루라도 죄를 짓지 않고는 그날을 보내지 않는 죄인이여.
자연의 섭리에 순응해 가며 살아가는 한낱 벌레만도 못하도다.

발버둥쳐도 몸부림쳐도
죄인이라는 굴레에서 벗어날 수 없어
하염없이 눈물만 흐르는데,

어찌하리 어찌하리
죄인으로 태어난 이 몸 깨끗이 씻을 길 없어
눈물로 적셔 보네.

어찌하리 어찌하리
눈물로도 씻어지지 않는 죄의 몸
무엇으로 깨끗해질 수 있는지…

통곡의 소리II

2002. 7. 25.

한낱 미물도 하나님을 경외하는데
어째서 나는 하나님의 영광보다 나의 안전을 더 살필까

언제 질지도 모르는 꽃들도 하나님의 뜻을 따라 사는데
어찌하여 나는 나의 뜻대로 살고자 하는 걸까

나의 애타는 소리를 들으신다면 주여,
나를 불쌍히 여기소서.

하늘 과 호수

1984. . .

하늘은
호수

호수는
하늘

이 맑고 맑은
호수는 어디에서 잠자나

이 넓고 넓은
하늘은 어디에서 꿈꾸나.

내 마음도
이 하늘과 호수처럼
맑은 마음 같고 싶어라.
넓은 마음 같고 싶어라.

──

'같고 싶어라'는 '~처럼 같아지고 싶다'를 표현한 것입니다.

하하, 웃긴다

2003. 4. 24.

하나님이 날 사랑하심에
뭐가 부족하다고
사람들의 인정을 받고자
애썼던가

아아,
한탄이로다

에라이,
머저리 같은 인생아.
정신차려라 - !

한다면 한다

1994. 3. 29.

나는 시작했다.
끝을 맺고 싶다

내 인생에 대해서
나는 성공적인 삶을 살고 싶다

나는 해내고 싶다
나는 하고 싶다

꼭 해내고 말겠다

나는 내 인생을 멋지게 살 권리가 있고
내 인생을 살 의무가 내게 있으므로

나는 꼭 해내고 말 것이다

행복

1999. 12. 23.

얼어 죽지 않고 남에게 냄새 풀풀 주지 않을 만큼의 여벌옷이
있다면…
굶지 않을 정도의 식사와 남에게 식사 한 끼라도 대접할 수 있
을 정도의 여유가 있다면
힘들 때 찾아가도 아무 말 없이 받아주는 사람이 단한명이라도
있다면…
힘든 친구가 찾아왔을 때 같이 있어줄 수 있는 시간이 있다면
이런 것이 행복이라고 생각합니다.

신이시여-·제가 이런 소망이 있음을 아시는지요.…

행복은 마음속에

1994. 1. 15.

오 세상에 태어난 것을 감사드립니다 밝은 빛을 볼 수 있기 때문입니다

오 숨을 쉴 수 있는 것에 감사드립니다 깊은 배움을 얻을 수 있기 때문입니다

오 나는 행복합니다 기쁨과 슬픔을 함께 나눌 수 있는 얼굴이 주위에 가득하기 때문입니다

오 사랑하는 마음에 감사드립니다 마음의 평온을 간직할 수 있기 때문입니다

오 나는 행복합니다 내 마음에 행복이 가득하기 때문입니다

행복한 하루

198 . . .

하하호호 웃으며 살아요 언제나 웃으며
아침이면 날마다 창문틈으로 몰래 들어와
햇님이 방긋이 꽃들이 활짝이
언제나 웃으며 인사하는데 내가 웃지 않고,
어떻게 있나요 행복한 하루야

밤이 되면 살며시 문틈으로 들어와
달님과 별님이 인사를 하면
나도 덩달아 인사를 하죠
모두가 웃으며 행복한 얼굴을.
날마다 웃음꽃이 활짝 펴요.

언제나 나무처럼 씩씩하게
파아란 하늘이 오색빛에 붙들면
어둠은 어디론가 사라져 버리고.
꽃마차를 타고서 무지개 다리를 건너봐요.
꿈나라로 행복의 나라로 여행을 가봐요.

호숫가(2)

198 . . .

조그만   풀잎들이
옹기종기   모여앉아
옆에있는   조그마한
동그란   호숫가에
마음을   담았어요.
겨울엔   겨울엔
꽁꽁얼은   호숫가
미끄러운   얼음이
랄라 거울되어 있어요.
비춰주는   호숫가 위
맑고맑은   하늘을
푸르른   하늘을
랄라 모두 비춰 줍니다.

호숫가-(1)

198 . . .

조그만   풀잎들이

옹기종기   모여앉아

옆에있는   조그마한.

동그란   호숫가에

마음을   담았어요.

여름엔   여름엔

투명한   물가에

하이얀   백조들이

랄라   헤엄치고 있어요.

반짝이는   호숫가 위

날아다니는   백조들

무엇이   좋은지

랄라   마냥 기뻐합니다.

후회I

1992. 2. 8.

눈을 떠 세상에 나와 맨 처음 본 건 눈부심이었지-·

눈을 돌리며 세상을 살펴 볼 땐 어지러움 뿐이었어.
밝음. 어두움.
이들이 합쳐 내게 보여준 건
돌아봄이었어.

내가 보았던 것들을 뒤돌아봄으로 인해 돌이켜보는.

눈을 돌려 뒤를 보았을 땐 이미 떠나버린 후였어.
한참을 찾았지 하지만, 없었어.
차츰 내 눈은 지치고 힘들었지.
시야는 흐려지고.

마지막 눈으로 본 건.
아무것도 남아있지 않은
그것은…….

허— -

이젠 그것조차 바람에 날려가겠지.
하나의 허공으로 사라지겠지.

희   망

198 .   .   .

나비야 나비야 희인 나비야

푸르른 꿈을 안고 멀리 날아라

높은 하늘 끝까지 멀리 날아라

바람처럼 푸른 하늘에

맑은 희망을 안고서.

슬픔이 있는 자에게 웃음을

고통이 있는 자에게 행복을

어둠이 있는 자에게는

희망을 안겨 줘라

웃음과 행복과 희망이 있는 곳으로

오색빛 무지개 다리를 건너서

꿈과 희망이 있는 곳으로 날아보아라.

희망찬 내일을 향하여…

1986.   .   .

산으로 갑시다
산으로 가요.
그 높고 높은 골짜기 밑으로 갑시다.
마음껏 뛰놀아 봅시다.
희망찬 내일을 향해…

강으로 갑시다
강으로 가요.
그 넓고 넓은 시원한 곳으로 갑시다.
힘차게 달려가 봅시다.
희망찬 내일을 향하여…

산으로 들로 갑시다 가요.
저 높고 넓은 곳으로 가요.
힘차게 달려가서
마음껏 뛰놀아 봅시다.
희망찬 내일을 향하여…